Christian Jolibois
Christian Heinrich

Les P'tites Poules Collector

PKJ.

L'auteur

Fils caché d'une célèbre fée irlandaise et d'un crapaud d'Italie,
Christian Jolibois est âgé aujourd'hui de 352 ans.
Infatigable inventeur d'histoires, menteries et fantaisies,
il a provisoirement amarré son trois-mâts *Le Teigneux*
dans un petit village de Bourgogne,
afin de se consacrer exclusivement à l'écriture.
Il parle couramment le cochon, l'arbre, la rose et le poulet.

L'illustrateur

Oiseau de grand travail, racleur d'aquarelles
et redoutable ébouriffeur de pinceaux,
Christian Heinrich arpente volontiers
les immenses territoires vierges de sa petite feuille blanche.
Il travaille aujourd'hui à Strasbourg et rêve souvent à la mer
en bavardant avec les cormorans qui font étape chez lui.

Du même auteur et du même illustrateur

Album collector (tomes 1 à 4)
Album collector (tomes 5 à 8)
Album collector (tomes 9 à 12)

Loi n° 49-956 du 16 juillet 1949
sur les publications destinées à la jeunesse : mars 2013.

ISBN : 978-2-266-23816-8

Achevé d'imprimer en France par Pollina, 85400 Luçon – n° L79526
Dépôt légal : mars 2013
Suite du premier tirage : février 2017

Coup de foudre au poulailler

En route pour Paris, l'illustre Coquelin
et sa troupe de comédiens ont fait halte au poulailler.
Carmen, Carmélito et toutes les p'tites poules
ont observé d'un œil intrigué
les artistes installer leurs tréteaux.
– Du théâââtre ? Qu'est-ce que c'est que ce truc ?
ont demandé les lourdauds
Coquenpâte, Bangcoq et Molédecoq.

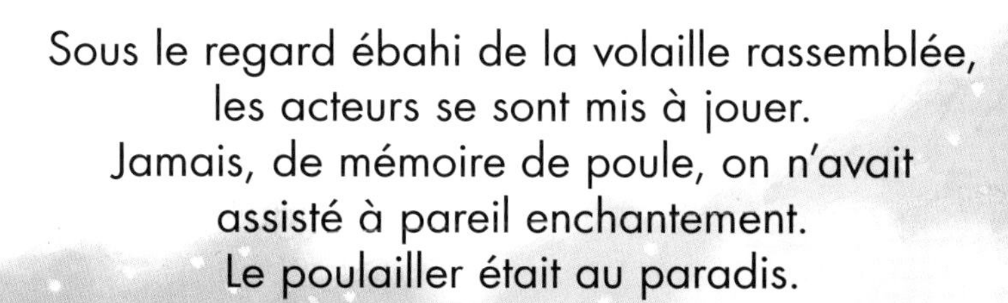

Sous le regard ébahi de la volaille rassemblée,
les acteurs se sont mis à jouer.
Jamais, de mémoire de poule, on n'avait
assisté à pareil enchantement.
Le poulailler était au paradis.

– Quoi ? Tu rrrrrefuses le marrrrriii que je t'ai choisiiii ? Sois maudite, fille rrrrebelle ! Je te chasse à jamais !

Les p'tites poules s'emportent contre le méchant de la pièce :
– Hooouuu ! Père indigne ! Tête d'œuf à la neige ! Te laisse pas faire, petite !

Carmélito, lui, est bouleversé. Devant tant de beauté son petit cœur de poulet s'arrête, hoquette, repart…

« Quel triomphe ! se délecte le Grand Coquelin. Ce n'est pas pour me vanter, mais quel talent j'ai ! »

Puis il s'adresse à son cher public :

– Ma fille Roxane va passer parmi vous. Montrez-vous généreux.

Carmélito a du mal à cacher son émotion :

– Roxane… Elle s'appelle Roxane !

– Je n'y comprends rien, grommelle Bélino, le petit bélier.
Le type au chapeau, il la chasse, sa fille, ou il la chasse pas ?!
– C'est un pestacle, Bélino !
C'est pour de faux, lui explique Carmen.

– À votre bon cœur m'sieu dames,
lance timidement la ravissante poulette rousse.

Roxane est étonnée
quand elle s'approche de Carmélito.

– Vous pleurez ?
– Euh, non ! Enfin, oui... oui...

Les larmes de Carmélito n'ont pas échappé
à Bangcoq, Coquenpâte et Molédecoq.
– Hé ! regardez ! Il chiale ! Oh ! la fille, hé…

– Même pas vrai !... Laissez-moi tranquille !

Carmen a remarqué l'émoi de son grand frère.
– C'était beau, hein ? Et cette Roxane est bien jolie…
– Roxane ? Quelle Roxane ? répond Carmélito tout troublé.

Pendant que les artistes rangent décor et costumes, Coquelin compte la recette.
– Vingt-deux grains de blé… cinq limaces, trois escargots… un bouton de culotte ! C'est Noël !

Coquenpâte trouve lui aussi Roxane à son goût. Il redouble d'esprit pour attirer l'attention de la belle.
– Hé ! hé ! hé !… Quoi de n'œuf, poulette ? Je peux vous offrir un ver ?

Après le spectacle, Carmélito se demande
s'il ne couve pas quelque chose.
– Je… Je ne sais pas ce que j'ai.
Je frissonne, j'ai chaud et j'ai froid…
– Tu es malade, Carmélito ? s'inquiète Bélino.

Carmen, elle, invite gentiment Roxane
à venir faire du patin.
– Je peux, père ? demande la poulette rousse.
– Bien sûr ! Maintenant que tu as fini de jouer,
tu peux aller t'amuser.

Sur l'étang gelé,
Carmélito a du mal à réaliser que c'est lui,
petit poulet de rien du tout,
qui patine au côté de la plus belle fille du monde.

Ce moment de grâce est volontairement interrompu par l'arrivée brutale des trois lourdauds.

– Ça va pas, la crête ?! s'écrie Carmélito furieux. Coquenpâte lui répond par un coup en traître.

Une franche discussion s'engage aussitôt, façon p'tit coq.

Après cette prise de bec,
le petit poulet rose a besoin d'être seul.
Il aimerait pouvoir chasser la belle Roxane
de ses pensées…

Quand il rouvre les yeux, il croit rêver !
Mais non ! C'est bien elle, en vrai, là, devant lui.
– Ils ne t'ont pas fait mal ? Tu n'es pas blessé ?
demande Roxane d'une voix anxieuse.

Carmélito en a le cœur qui chavire.
« Elle s'inquiète pour moi ! Ça veut dire
que j'existe un tout petit peu pour elle ? »

Roxane est ennuyée. Elle a perdu son chapeau à plume rose.
– Carmélito, demande la coquette, peux-tu m'aider à le retrouver ? Mon chapeau, j'y tiens beaucoup !
Puis elle ajoute dans un battement de cils :
– Je vais te faire un aveu, Carmélito, le rose est ma couleur préférée…

Dissimulé avec ses copains derrière un tronc d'arbre, Coquenpâte enrage :
– Misère à plume ! Roxane s'intéresse à Carmélito !

– Allons trouver Pédro le Cormoran.
C'est un génie, cet oiseau-là ! Toujours de bon conseil.

– Pédro, vite ! Il n'y a pas une seconde à perdre !
Tu ne connaîtrais pas un truc pour séduire les filles,
qui marche à tous les coups ?

Le vieux Cormoran leur répond avec sagesse
qu'avant tout il faut du temps.
Que séduire une belle est affaire de patience
et peut prendre des années…

– Des années ! se récrie Coquenpâte. Pas question !
J'suis pressé. T'as pas autre chose ?

– Si ! se souvient Pédro :
par exemple, offrir des fleurs est le meilleur des cadeaux.

– Des fleurs en hiver ? Laisse tomber !
Je cherche quelque chose de rapide et d'efficace !

Pédro prend alors un air de conspirateur
et leur chuchote à l'oreille :
– J'ai entendu parler d'une vieille recette bretonne,
appelée **le philtre de Tristan**.
La personne qui boit ce breuvage magique
tombe à jamais amoureuse de celui qui l'a préparé.

– Où trouve-t-on cette merveille ? s'écrie Coquenpâte.

– Je vais vous livrer le secret de ce philtre enchanté.
Sept ingrédients sont nécessaires à sa fabrication.
Il faut : premièrement, une cuillère de morve de rat ;
deuxièmement, une louche de bouse bien chaude…

– Parle plus bas, dit Bangcoq, on pourrait nous entendre !

Pendant ce temps, Carmélito est de plus en plus mal en point.
– J'ai les pattes qui se dilatent,
et le cœur comme du beurre,
la cervelle qui chancelle,
j'ai les yeux tout brumeux,
l'appétit qu'est parti…
Ah, mon Dieu ! que c'est embêtant
de n'être pas bien portant !

– T'es pas malade ! glousse sa petite sœur Carmen.
T'es juste amoureux !

– Amoureux… Je sais ce que c'est !
Je me souviens d'un fromage
que j'ai beaucoup aimé… avoue Bélino.

– Et ce n'est pas tout, grand nigaud ! dit Carmen.
Tu n'as rien remarqué ? Roxane elle aussi a un faible pour toi.
– Ah bon ? Tu crois ? s'étonne Carmélito.
– Maintenant, tu dois lui avouer que tu l'aimes.
– J'oserai jamais ! rougit l'amoureux.

– Lui offrir une rose serait du plus bel effet ! propose la poulette.
– Comment cueillir une rose en plein hiver ? Impossible ! répond Carmélito.
– J'ai trouvé ! s'exclame soudain Carmen.

– Tu vas lui écrire un poulet ! Un poulet, c'est un petit mot d'amour. J'irai moi-même le lui porter.

Aussitôt dit, aussitôt fait. En deux temps trois mouvements, l'affaire est pliée.

– Dans cinq minutes, Roxane lira ton poulet, frérot !

– Ma petite sœur est formidable ! Mais je ne crois pas qu'une cocotte en papier suffise à exprimer mon amour. Roxane mérite ce qu'il y a de mieux, Bélino ! Je vais lui trouver une rose, la fleur des amoureux.

– Une rose en hiver ?! Carmélito, t'as un grain !

– Oui. Je suis fou d'elle !

Pour Coquenpâte, le temps est compté !
L'illustre Coquelin et la belle Roxane
vont bientôt reprendre la route. Avec l'aide de ses complices,
le gros lourdaud s'empresse de réunir les sept ingrédients
pour fabriquer le philtre d'amour.

– Deux doigts de vomi de poisson...

– Une louche de bouse bien chaude...

– Un dé à coudre de pus de crapaud... Excuse-moi, vieux !

Carmen est très fière de sa mission : messagère du bonheur ! Grâce à elle, Roxane connaîtra les sentiments de Carmélito.

– Mais, c'est Carmen ! Sans son frère ? s'étonne Coquenpâte. Tiens, tiens, tiens ! Où court-elle si vite avec sa drôle de cocotte… ?? Une seule façon de le savoir : coupons-lui la route !

La messagère est aussitôt immobilisée,
et son courrier intercepté.

– Bas les pattes ! espèces de mal dégrossis !
s'écrie la petite Carmen, indignée.

– Hé ! hé ! hé !... Un billet doux de Carmélito
à la jeune demoiselle du théâtre !
ricane Coquenpâte.

Et sous le regard horrifié de Carmen
le gros vilain mange la commission.

Au poulailler, les comédiens sont sur le départ.
– En route, mauvaise troupe !
lance gaiement Coquelin.

Roxane demande qu'on l'attende un instant.
Elle a le cœur chagrin.
Jusqu'au dernier moment, elle a espéré que Carmélito,
son petit coq si sensible et... si beau,
serait là pour la saluer.
« Saperlipoulette ! ce n'est pas aux filles de faire le premier pas. Mais bon ! Si ce grand nigaud a décidé de rester muet, c'est à moi de lui dire que je l'aime ! »

– Carmélito ?

Le petit bélier a toujours suivi son copain
dans ses aventures les plus folles. Mais là ?! Pffff…
« Chercher une rose en hiver !
Ce pauvre poulet est fêlé de la coquille. »
– Pas si vite, Carmélito !
Ma parole, il a mangé du lion !
– Cherchons un abri !
Je n'ai que ma petite laine sur le dos
et je bêle de froid !

Au sommet du sinistre piton de Mortetrouille,
Carmélito se retrouve nez à nez avec Pickpocket, le porc-épic.

– Salut, Carmélito ! Je rentre du boulot…

– Venez vous réchauffer chez moi, les givrés !

Dans le repaire de Pickpocket, s'entasse le butin
de plusieurs années de chapardage.
– Ça alors ! Mes fromages de brebis ! C'était toi ?
Oh, la lunette de Galilée ! La girouette du clocher !
La lanterne du Rat Conteur ! Les sabots de la vilaine...
– Nom d'une coquille ! s'écrie Carmélito,
le chapeau de Roxane !!!
– Hi ! hi ! hi !... pouffe le porc-épic. Il faut me comprendre
les amis. Je ne peux pas m'empêcher de piquer !

Carmélito s'est réchauffé.
Il est désormais impatient de se remettre en route.
– Il me faut trouver une rose, et vite !

– Je préfère... crunch... crunch...
t'attendre ici... crunch... crunch..., dit Bélino.

Carmélito est vite à bout de souffle.
Pour se donner du courage, il se répète
le doux nom de celle qu'il aime :
« Roxane... Roxane... Roxane... »

Voilà des heures qu'il marche sans avoir rien trouvé.
Perdu au milieu de cet univers glacé,
il pense sa dernière heure venue.

En bas, dans la vallée, Coquenpâte, Bangcoq et Molédecoq,
eux, sont sur le point de réussir.
– Un pet de lapin ?... Je le tiens !

– Bravo, les gars ! se réjouit Coquenpâte.
Reste à trouver les trois poils roux d'un bébé lynx.
Et à moi le philtre qui rend… **irrésistible** !

Le vaillant petit coq est allé au bout de ses forces.
Engourdi par le froid, il sent la vie l'abandonner.
Quand soudain…

Toc ! toc ! toc !
– Allez, debout, bonhomme !

– Oh ! un poney… Un brave poney
qui s'est pris une grosse épine sur le front…

L'animal fabuleux, un peu vexé,
lui répond d'un air pincé :
– Je ne suis pas un vulgaire poney,
mais... une licorne ! Allez, monte !

– Où allons-nous ? demande Carmélito
agrippé à la crinière de la créature légendaire.
– Au pays des Mille Fleurs !
Ma noble Dame t'attend !

Le monde enchanté que découvre Carmélito
dépasse en beauté tout ce qu'il a vu et imaginé jusqu'à ce jour.
Il cherche le mot qui pourrait décrire le mieux
ce merveilleux jardin.

– C'est… c'est… époulestouflant !

– Tu es un petit coq très courageux,
dit la Dame d'une voix douce.
J'aime les amoureux obstinés...

– Tu as raison, Carmélito !
les fleurs savent parler quand l'amour nous rend muet.
Prends ! Elle est à toi,
et cours rejoindre l'élue de ton cœur.

– Merci, Madame.

Carmélito relève la tête et… Oh ! surprise :
le jardin extraordinaire, les mille fleurs,
la Dame et sa Licorne ont disparu !

De leur côté, les trois lourdauds touchent au but !
Molédecoq a apporté les précieux poils roux d'un bébé lynx.
Et de sept ! Le compte y est !
Le breuvage magique est enfin prêt !

La poulette rousse, qui n'a pas trouvé Carmélito chez lui,
s'en retourne auprès de son père.
– Voilà Roxane ! s'écrie le Roméo de basse-cour.
Reste à lui faire boire ce philtre.

Lorsqu'il arrive en vue du poulailler,
Carmélito a la désagréable surprise
de découvrir Coquenpâte aux pieds de sa belle.
« Nom d'une coquille ! Trop tard ! »

– Chère Roxane, roucoule le gros bêta,
goûtez cet excellent...

– Haaaaaa !!!
Le philtre ! Le philtre a disparu !

– Là-bas ! Pickpocket qui s'enfuit !
Vite ! Rattrapons-le !

– Ah, non ! Sans nous ! On en a plein les pattes !
protestent Bangcoq et Molédecoq.

Le porc-épic est encore plus gourmand que voleur !
Il boit la mixture jusqu'à la dernière goutte.

En voyant disparaître la bande des trois lourdauds,
Carmélito reprend espoir.

Il court vers elle, le cœur battant.
Discrètement, il fixe au chapeau de sa belle
la rose si durement gagnée.

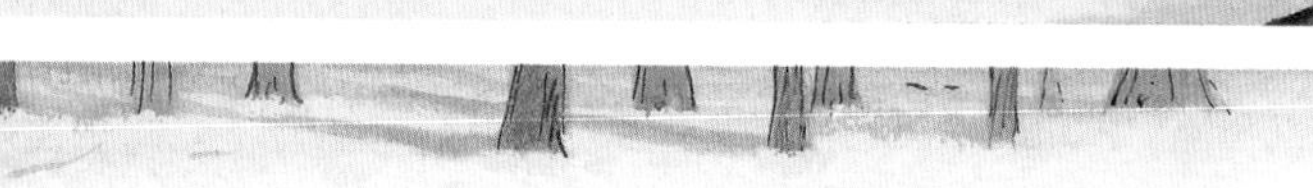

Elle semble très heureuse de le revoir !
Enfin, il va réussir à lui dire qu'il l'aime, c'est sûr…

– Roxane !

– Euh… J'ai retrouvé ton chapeau !

En découvrant la rose, Roxane se dit qu'un garçon
capable d'offrir un si somptueux cadeau
est rare et digne d'être aimé…
Elle voudrait avouer son amour à Carmelito, mais…
que c'est difficile !

Puis, comme l'un et l'autre ont la gorge nouée,
ils se parlent longuement avec les yeux.

Ensuite Carmélito entraîne Roxane sur la glace.
Tous les amoureux vous le diront :
le patin facilite le rapprochement.

C'est le bonheur d'être à deux !
À cet instant, Roxane a tout oublié :
le théâtre, les tournées, sa vie sur les grands chemins…

« Cette maladie d'amour
qui vous fait les pattes gelées
et allume un incendie de forêt dans votre poitrine
est bien mystérieuse », se dit Carmélito…

Pour Roxane et Carmélito arrive enfin l'instant, ô combien émouvant, du premier baiser.

SMAC !

Les deux amoureux sont seuls au monde…

Pédro le Cormoran avait bien prévenu Coquenpâte :
celui qui boit le philtre magique tombe amoureux
pour toujours de celui qui l'a préparé.

– Mets des lunettes, espèce de miro !
Tu vois pas que j'suis un poulet ?!

Un poule tous, tous poule un !

À la ferme, c'est l'heure de la tonte.
Sous les rires moqueurs des p'tites poules,
les bergers du roi taillent à grands coups de cisailles
l'épaisse toison des moutons, en chantant à tue-tête :

« Il faut qu'un mouton, un mouton soit tondu.
Approche, mon mignon, tu es le bienvenu.
Encore un mouton, un mouton de tondu,
la la qu'il est moche, maintenant qu'il est tout nu. »

C'est au tour de Bélino, le petit bélier.
– Non ! Je ne veux pas y aller !
Je refuse qu'on me prenne la laine sur le dos !

Pas question pour Carmen et Carmélito d'abandonner leur copain en si fâcheuse posture.
– Psitt ! Bélino ! Par ici ! Vite !

À peine sorti de l'enclos, le petit bélier détale comme un lapin.
– Attends-nous ! lui crie Carmen.

En entendant ce tapage, les p'tites poules accourent.
– Il a rencontré un loup ? demande Coquenpâte.
– Non, non ! Une bande de raseurs,
répond Carmen. Bélino possède la laine la plus délicate
et la plus recherchée du troupeau.

– Les bergers aimeraient faire de sa belle toison
une culotte bien chaude pour le roi,
leur apprend Carmélito.

– Fournisseur de Sa Majesté ! Quel honneur ! s'enflamme Pédro le Cormoran.
Coquenpâte et Molédecoq font rire leurs amis en lançant un joyeux :
« Fesses toujours bien au chaud,
grâce au caleçon de laine Bélino ! »
Hi ! hi ! hi !

Soudain, Liverpoule donne l'alerte :
– 22 ! V'là les bergers !

Cette fois, c'en est trop pour Bélino.
– Mais pourquoi tant de laine ?!

– Bélino, tu es mon meilleur copain, lui dit Carmélito.
Jamais je ne te laisserai tomber ! Suis-moi !
Je connais un endroit où tu n'auras rien à craindre...

... Là-bas, les tondeurs de moutons
n'oseront jamais venir te chercher !
– Je vous accompagne, dit Carmen. Filons !

Alors que le soleil s'apprête à se coucher,
les trois fugitifs pénètrent
dans la mystérieuse contrée des Pierres levées.
Une vieille légende raconte que ces étranges cailloux
seraient des géants endormis...

L'endroit provoque une telle épouvante
qu'aucun homme ne s'y aventure jamais.

– Ici, tu seras en sécurité,
dit le petit coq rose.

Bélino reste pourtant inquiet.
– Oui, mais où va-t-on trouver quelque chose à manger ?
Son copain Carmélito le rassure.
– J'ai pensé à emporter un bon fromage Kipu.

À l'abri d'un gigantesque menhir,
Carmélito aménage un petit nid douillet pour la nuit.
Bélino, lui, s'est jeté avec gourmandise
sur le vieux Kipu !
– Mmmm... Quel fumet délicat !

– Heu !... Gardons-le pour le petit déjeuner,
dit Carmen la maligne...

... Pouah ! Impossible de dormir près de ce piège à asticots !

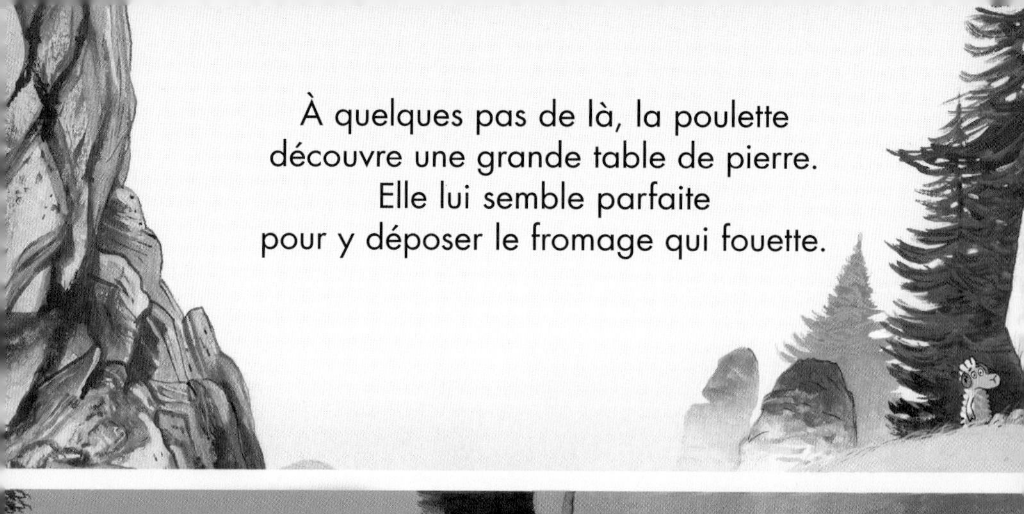

À quelques pas de là, la poulette
découvre une grande table de pierre.
Elle lui semble parfaite
pour y déposer le fromage qui fouette.

Carmélito et sa sœur Carmen
ont leur petit cœur rempli de bonheur.
Ça fait souvent ça
quand on a aidé un ami…

La nuit à la belle étoile promet d'être calme.
La température est un peu fraîche,
alors les trois inséparables se serrent pour se tenir chaud.

Pendant ce temps, au plus profond de la forêt,
deux guerriers trolls s'avancent à pas lents,
l'œil aux aguets. Ils sont à la recherche
d'une prodigieuse peau de mouton : la Toison d'or !
– On ne devrait plus être loin de la contrée
des Pierres levées, grogne le troll poilu.

– Par les dents pourries de Cromelech notre roi !
glapit le troll velu. J'me rappelle plus
ce qu'on est venus chercher…
– Une peau de mouton en or ! rugit le dentu.
Tous les mille ans, elle apparaît sur une table de pierre magique,
au premier rayon de lune.
Quand nous l'aurons trouvée, nous serons riches !
– Mais… pour quoi faire ? On est déjà très riches !
– On n'est jamais assez riche, imbécile !

Pick et Nick, les frères hérissons
qui attendaient patiemment que les trois amis
soient endormis, escaladent la table de pierre.

– Un vrai Kipu fermier moulé à la louche !
s'extasie le cadet par l'odeur alléché.
– Nan ! L'aîné d'abord ! menace Pick.

Nick n'a même pas le temps d'y planter une dent qu'il est illico transformé en or.

Pick regarde sans comprendre son frérot changé en pelote d'épingles pour riches.
Touché à son tour par le rayon de lune, le voilà lui aussi qui se retrouve tout en or.

À deux pas de là, Bélino est brutalement tiré
de son sommeil par des gémissements.
C'est son ventre qui crie famine !
– Comment calmer cette violente fringale en pleine nuit ?
s'inquiète le presque mort de faim.

Heureusement, une odeur familière
vient lui titiller les naseaux.
– L'arôme sans pareil d'un amour de fromage…,
murmure Bélino en quittant sa couche.

– À table !

– Mmmm !

Réveillés avec le soleil,
Carmen et Carmélito ont une désagréable surprise :
leur ami Bélino n'est plus là !
Ils ont beau chercher, fureter, fouiller le moindre recoin,
Bélino reste introuvable !

– Le plus incroyable, dit Carmélito,
c'est qu'il soit parti sans son fromage…

– Et si les bergers du roi avaient osé venir ici durant la nuit et l'avaient emmené ? s'écrie soudain Carmen. Vite ! retournons à la ferme !

En chemin, quelle surprise !
Ils croisent deux vieilles connaissances.
– Pick et Nick… en or massif !
Ça alors !

Les deux hérissons, qui se souviennent
d'avoir été utilisés comme balles de golf par Carmen *,
se mettent à trembler des aiguilles.
– Mais... On n'a rien fait !

Carmélito demande aux chenapans
s'ils n'auraient pas aperçu leur copain Bélino.
– Bien sûr qu'on l'a vu ! raconte Pick.
Comme nous, il a été frappé par un étrange rayon de lune
alors qu'il mettait les pieds sur la table.
En un éclair, il s'est retrouvé avec...
une toison d'or !

* Lire : *Le jour où mon frère viendra.*

– Ensuite, ç'a été terrible ! poursuit le cadet.
Deux abominables trolls ont jailli de nulle part !
Ils ont glissé Bélino dans un sac en disant qu'ils adoraient le gigot de mouton et qu'ils le mangeraient plus tard...
– Des trolls ! Nom d'une poule ! Il est perdu !
s'écrient Carmen et Carmélito.

– **La vérité si je mens !** jurent les hérissons.

– Bon, ben, on vous laisse…
On file à Versailles ! À nous la vie de château.
Salut, les ploucs !

Comment arracher Bélino des griffes
de ces abominables monstres ?
Pour la première fois, Carmen et Carmélito
se sentent impuissants.
Ils décident de retourner au poulailler chercher des renforts.
Avec l'aide de tous, peut-être arriveront-ils
à délivrer leur copain…

Les habitants du poulailler sont bouleversés
en apprenant l'effroyable nouvelle.
Comment ? L'ami Bélino, le doux, l'aimable, le dévoué,
le gentil, le joyeux, le serviable, le sensible Bélino
aurait été enlevé et dévoré par des trolls !?

Pédro le Cormoran console comme il peut
Carmen et Carmélito, qui pleurent leur ami disparu.

Le petit coq rose se souvient avec émotion
de tous les moments formidables qu'ils ont partagés.

– Comment je vais pouvoir vivre sans toi, Bélino ?

Coquenpâte se mouche d'un revers de patte et dit :
– On ne peut pas rester à pleurer comme ça
sans rien faire, les gars !
Bélino est peut-être encore vivant !

Le vieux Pédro demande le silence.
– Coquenpâte a raison, mes enfants !
Sachez que les trolls ne brillent pas par leur intelligence.
D'ailleurs, ces créatures de la nuit ont deux points faibles.
D'abord, ils aiment l'or par-dessus tout !
Leurs coffres regorgent de richesses, mais il leur en faut
toujours plus ! La seule vue du métal précieux
les rend complètement frappadingues !

– Quant à leur second point faible, poursuit le cormoran,
c'est le soleil ! La lumière leur est fatale !
Ils sont obligés de vivre la nuit et de dormir le jour
sous peine d'être transformés en pierres levées !
À l'heure qu'il est, ils doivent ronfler non loin d'ici !

En entendant ces mots,
les p'tites poules reprennent courage.
– Rattrapons-les ! s'écrie Carmélito ragaillardi.
Tout espoir n'est pas perdu.

– Ouais ! Allons-y ! lance Bangcoq en bombant le torse.
Moi, les trolls, j'en fais de la chair à saucisse !

Tout le monde cherche comment venir au secours de Bélino.
Dans la tête de Carmen, les idées se bousculent.
– Il faut commencer par s'approcher d'eux
sans se faire croquer…
Ensuite, on détourne leur attention en… en…
en leur montrant de l'or, bien sûr !
Oui, c'est ça ! Beaucoup d'or ! Des montagnes d'or !

Le plan de Carmen est audacieux.
Mais… les p'tites poules ne possèdent rien !
Juste quelques œufs…
Où trouver le métal précieux qui rendra les trolls complètement mabouls ?

– Ouyouyouille ! gémit Coquenpâte.
C'est dur de réfléchir quand on n'a pas l'habitude…
J'ai la migraine.

– J'ai trouvé ! s'exclame tout à coup Carmen.
Les arbres aux fruits d'or dans le verger du roi !
– Heeuuu… On ne comprend rien, mais je te fais confiance,
dit le grand frère.

– Carmélito ! Pendant que tu suivras la piste des trolls
avec Coqueluche, Molédecoq et Coquillette,
moi je filerai à Versailles ! J'aurai besoin de deux costauds :
Bangcoq, Coquenpâte, avec moi !…

… Les amis ! Jurons d'unir nos forces
pour sauver notre copain Bélino !

Un poule tous, tous poule un !

Il ne faut pas bien longtemps à Carmélito
pour repérer les traces des kidnappeurs…

… tandis que sa petite sœur
arrive en vue du jardin royal.

Bientôt, Carmen et ses aides secouent les citronniers de Sa Majesté comme des pruniers.

– C'est beau, mais c'est pas bon ! grimace Coquenpâte.

– Ce sont des fruits très rares… Le roi les a fait venir d'Orient, lui répond la poulette.

Au plus sombre de la forêt,
bien à l'abri des rayons mortels du soleil,
les guerriers trolls se sont endormis.
Carmélito et ses copains ont le sang qui se glace.
Parmi les restes du repas des monstres
il y a... des os ! Non ! Ce serait trop affreux...

Soudain, Coqueluche, qui est aussi allergique aux poils,
sent monter une terrible envie d'éternuer.

Réveillés en sursaut, les deux trolls
bondissent sur leurs pattes.
– Par les grandes oreilles de Cromelech le Baveux !
gronde le branchu.
On est attaqués par des poulets !

– Qu'avez-vous fait à mon meilleur ami ?!
hurle Carmélito, tout en frappant l'ennemi avec courage.
Tiens, prends ça, cannibale !

C'est alors que monte de la besace des monstres
un gémissement familier, reconnaissable entre tous !

– BÉLINO !

Mais les monstres leur barrent le chemin.
– Un pas de plus et on vous bouffe !
rugit le fessu.

La petite Carmen, qui assistait à la scène
cachée derrière un fourré, se dit qu'il est temps d'intervenir.
Elle s'approche en criant :
– Qui veut des œufs d'or ?
Ils sont beaux, ils sont beaux, mes œufs d'or !
Qui n'en veut de mes beaux œufs ?

À ces mots, les trolls se figent
et contemplent les paniers, la bave aux lèvres.
– Petite, où as-tu trouvé ces trésors ? demande le pansu
avec convoitise.

– Ces œufs sont à moi, répond Carmen avec malice.
Je suis la Poule aux œufs d'or !
J'en ponds une bonne centaine par jour.
Et c'est un vrai souci, messieurs :
ces œufs en or, on ne peut rien en faire…

– Nous, on veut bien t'en débarrasser,
s'écrient les trolls, qui avancent déjà leurs mains
gluantes vers les citrons.

– Pour ça, il faudra d'abord m'attraper !
lance Carmen, avant de filer comme une anguille
à travers bois.

– Cette fois, on te tient, sale gamine !

Erreur fatale ! Emportés par leur élan,
les trolls ne peuvent stopper leur course
et débouchent dans la clairière.
– Aaaaah ! Les rayons du soleil !
hurlent en chœur les monstres de la nuit.

– Arrêtez-vous tout de suite !
Aux pieds, les poulets ! L'or n'est pas un jouet !

Sa sœur ayant astucieusement détourné
l'attention des kidnappeurs,
Carmélito se précipite pour délivrer le petit bélier.

– J'ai bien cru ne jamais te revoir, mon poulet !

– Tu n'as rien ? Tout va bien, mon belin ?

– Enfer et crotte de poule ! s'écrie Coqueluche
en découvrant la toison de son copain.
Tu resplendis comme un soleil !

– Un méchant rayon de lune magique
qui ne brille qu'une nuit tous les mille ans
a transformé ma laine en or…,
répond Bélino d'un air penaud.
C'est moche et ça pèse un âne mort, ce truc.

Puis le petit bélier miraculé serre contre lui Carmen, qui vient de lui sauver la vie.

– Ma crevette, t'es la plus chouette des poulettes.

Quant à Coquenpâte, il raconte ses exploits sous l'œil admiratif des autres p'tites poules.

– … et alors, le troll s'est jeté à mes pieds en me suppliant : « Pitié, Coquenpâte ! J'ai une femme et des gosses ! »

Bélino est cajolé, chatouillé, embrassé, bécoté, enlacé, patouillé... Tous veulent lui montrer leur affection.

– Mon bonheur serait complet, dit Bélino, si je n'avais pas cette satanée carapace d'or sur le dos ! Hier, vous m'avez évité la tonte. Eh bien, aujourd'hui, rien ne me ferait plus plaisir que de retourner chez le coiffeur !

Un peu plus tard, à la ferme...

« Il faut qu'un mouton, un mouton soit tondu.
Approche, mon mignon, tu es le bienvenu.
Encore un mouton, un mouton de tondu,
la la qu'il est moche, maintenant qu'il est tout nu. »

Tandis que Pick et Nick,
qui ont servi de cure-dents de luxe à la Cour du roi,
rentrent tout penauds de Versailles…

… c'est l'instant des serments qui durent toute la vie.
– On sera toujours copains, hein, Bélino ?
– Je te le promets ! répond le petit bélier.
Même que si un jour t'es plus mon copain,
eh ben moi, je *mourre* !

Après un long silence, une pensée lui traverse l'esprit.
– Je me demande ce qu'est devenue ma toison d'or…

À Versailles…

– Merci, gentils bergers, dit Louis XIV.
Elle me sied à merveille !

Et c'est à compter de ce jour qu'il se fit appeler
en toute modestie : le Roi-Soleil.

Pas de poules mouillées au poulailler !

Branle-bas de combat au poulailler.
C'est Pédro, le vieux cormoran, qui a donné l'alerte.
– Ennemi en vue ! Les coqs aux créneaux !
Les dames et les enfants aux abris !

À l'orée du bois, un brigand affamé
observe le poulailler en se pourléchant les babines.
Le jeune goinfre imagine tous ces bons œufs
dans leurs nids et grogne de plaisir.

Les petits coqs, le mollet tendu, bombent le torse et
gonflent leurs biscotos, afin d'impressionner le maraudeur
et le faire déguerpir.

Il en faut plus pour effrayer le voleur au ventre vide qui les nargue
– Alors, les coquelets ! On a du sang de poulette dans les veines ?

Le ton monte. Les menaces fusent.
– Dégage, sale gobeur, ou je te ratatine le museau ! s'écrie Coquenpâte.
– Tu ne me fais pas peur ! Approche, et je te transforme en chair à pâté ! avertit Bangcoq.

– Pourquoi ce gredin fouine-t-il autour de notre maison ? demande Carmen.
– Parce que c'est une fouine, justement ! explique sa maman. L'automne venu, ces bestioles ne trouvent plus rien à se mettre sous la dent. Alors elles attaquent les poulaillers, où il y a des œufs en toute saison.

– Bande de sauvages ! S'en prendre à de pauvres œufs sans défense, s'indigne Carmélito en courant rejoindre ses copains.

Impatients à l'idée d'en découdre, Coquenpâte, Molédecoq, Bangcoq, Coqpitt, Coqueluche et Carmélito s'élancent aux cris de :

– Allons, enfants de la batterie !!!

– Boutons l'ennemi hors du poulailler !!!

Pitikok et le vieux Pédro tentent vainement de les retenir :

– Revenez ici tout de suite, les garçons ! C'est dangereux ! Attendez-nous !

– J'ai réussi ! se réjouit la fouine. Ces coqs sans cervelle ont mordu à l'hameçon !

Les mères poules sont inquiètes de voir s'éloigner leurs petits coqs. Même s'ils jouent les durs, ils semblent encore bien tendres pour aller au combat.

– Pitikok et Pédro veilleront sur nos jeunes guerriers, les rassure Carméla.

– Nom d'une poule ! s'exclame Carmen. Regardez toutes ces bonnes friandises qui se font la belle…

– Bêêê, que se passe-t-il ?
La terre tremble sous mes sabots ! dit Bélino.

– Alerte ! hurle tantine Coquette. Alerte !
J'aperçois des ombres inquiétantes qui jaillissent du bois !
Rentrez vite à la maison !

– Pas de panique, mesdames ! lance Carméla. Que chacune d'entre vous veille sur ses poussins.

Carmen et Bélino ferment la marche.
– Vienpoupoule… ! Hucocotte… ! Coquillette… ! Fini de jouer, il y a du danger ! Tout le monde regagne son nid !

Misère à plumes ! Une troupe de fouines sanguinaires
vient de franchir le mur d'enceinte du poulailler
et bruyamment s'élance.

– C'est la terrible bande de Vasypapa
et les Quarante Gobeurs ! s'étrangle Carméla.
Des pillards à la gloutonnerie sans limites. Pour gober un œuf,
ces affreux n'hésitent pas à saigner tout un poulailler…

– Mon plan a réussi, glousse le chef. Il n'y a plus
que les femmes là-dedans ! Silence et recueillement, les enfants,
nous allons passer à table… Grrr… Grrr… Grrr.

Courageusement, Carméla et la petite Carmen
tentent de raisonner les pillards.
– Avant de commettre l'irréparable, je vous en supplie,
écoutez ma maman ! leur lance Carmen.

– Monsieur Vasypapa,
tous les médecins vous le diront :
gober des œufs en trop grande quantité
n'est pas bon pour la santé…

Carmen poursuit :
– Dans les bois il y a plein d'autres choses délicieuses à manger : des champignons, des noix, des noisettes…

– On n'est pas des écureuils ! s'esclaffent les gobeurs.
– Ouais, on connaît la chanson, ricane Vasypapa. Cinq fruits et légumes par jour. Mais nous, c'est les œufs qu'on préfère !

Les mamans poules, avec l'aide des petites poulettes, organisent leur défense.

– N'aie pas peur, Carmen, dit Bélino, je… je… je suis là !
– J'espère que mon papa, qui est très fort, va bientôt rentrer pour nous protéger et chasser cette bande de brutes.

Pendant ce temps-là, les jeunes coqs
continuent la poursuite infernale.
Ils vont donner à cette fouine la leçon qu'elle mérite.
– Revenez ! Revenez ! supplie Pitikok.
Mais les cris de victoire fusent déjà :
– On la tient ! ha ! ha ! ha !
– Regardez ! Elle est morte de trouille !
– Ouais ! On est les champions…

Au poulailler, on essaie de se rassurer.
– Quand elle entendra tout ce boucan,
la fermière va venir et chassera ces monstres,
fait sagement remarquer tante Coquette.

– Impossible de compter sur elle, s'emporte Carmen.
La Vilaine est invitée à un mariage et sera absente trois jours.

– Tiens, tiens, tiens… Qu'est-ce que vous faites là, les pelotes d'épingles ? s'étonne la poulette.
– Euh… Mon frère et moi, on est venus vous donner un coup de main, dit Pick.
– Oui, oui ! On est volontaires pour vous aider à repousser les fouines, dit Nick.

– Nous aider ? Cachés sous une corbeille ? s'indigne Bélino. Aaah ! les boulets…
Au mot « boulets », une idée germe sous la crête de Carmen.

– Comment t'appelles ce truc ? demande Bélino.

– Une catapoulte… Hi ! hi ! hi !

– Nous sommes prêts, gémissent les deux projectiles, qui regrettent déjà d'avoir proposé leurs services.

La porte du poulailler s'ouvre et…

– Aiiiiiie ! Z'ai été bleffé par un tir de fffâtaignes !
Ooooh ! que fa fait mal…

Leur chef est hors de combat.
La bande des Quarante Gobeurs, lâchement, bat en retraite…

À l'intérieur de leur modeste forteresse,
les mamans poules et les enfants célèbrent la victoire
en chantant à cœur joie.

La fête est brusquement interrompue :
les murs vacillent, le plancher se dérobe, et tout le monde
est projeté dans les airs.

Enfer et crotte de poule ! Quel est ce grondement ?
Les petites poules ont à peine le temps de se ressaisir
que tantine Coquette se met à crier :

– Regardez ! Les pillards
ont trouvé des échelles !
Ils reviennent à l'attaque.
Cette fois, nous sommes
perdues !

C'est compter sans l'astucieuse Carmen.
Aidée de Bélino, elle revient avec un soufflet.
– Ils veulent la guerre ? Ils vont l'avoir…

À L'ASSAUT !
VASYPAPA !
VASYPAPA !
Avec calme, Carmen procède aux derniers réglages de son drôle de canon.

– Bélino, passe-moi
pince, Monseigneur…
– On va bien rigoler,
les p'tites poules.
– Argh ! Je suis touché par
un truc gluant… Ça pue !
C'est dégoûtant !…
– Maman ! Ma belle
fourrure blanche est
pleine de…

– Mais… ? Mais… ? Qu'est-ce que c'est ?
Berk ! De la fiente de poule !

L'affreux Vasypapa est indigné.
– Vous… Vous n'avez pas le droit ! Utiliser des armes chimiques, c'est contraire aux lois de la guerre !

Le poulailler découvre les joies de l'artillerie.

Tout à coup, au milieu des cris et du fracas de la bataille, monte des entrailles de la terre un nouveau grondement terrifiant.

BRÔÔÔÔMMMMM !!!

Stupeur et tremblements !

La maison des poules est secouée comme un prunier.
Une force inconnue la fait vaciller.

Les Quarante Gobeurs assistent, impuissants, au plus pénible des spectacles. Leur chère boîte à œufs, si convoitée, va disparaître au fond de la mare.

– Après la guerre chimique, nous voilà victimes d'un tremblement de terre ! Je suis maudit, enrage leur chef.

Quelle cabriole ! Mais que s'est-il passé ?
Les poules se retrouvent la crête de travers,
des courbatures dans le dos et le croupion douloureux.
– Aïe ! Ouille ! Maman ! Bobo…
– Nom d'une coquille ! se met à piailler Carméla.
Notre poulailler est devenu une caravelle !
Les p'tites poules réalisent que désormais
elles n'ont plus rien à craindre.

À plusieurs lieues de là, les petits coqs
sont toujours à la poursuite du gobeur qui les a provoqués.
– Nom d'une poule ! Des sables mouvants !
hurle Coquenpâte. Prudence, les copains !

– Alors ! On prend son bain annuel ? se moque Molédecoq.
– Hi ! hi ! hi ! J'veux pas dire, mais…
qu'est-ce que tu fouettes ! ricane Bangcoq.
– Venez, les gars ! dit Coqpitt, mort de rire,
laissons Môôôssieu à sa toilette...

– Eh, attendez ! leur dit Carmélito.
On ne peut pas le regarder se noyer sans rien faire !
C'est… C'est…
– C'est notre ennemi ! s'emporte Molédecoq.

Mais le petit coq rose insiste :
– Au poulailler, quand on joue à la bagarre,
on ne frappe jamais un adversaire à terre ! On l'aide !
Montrons à ce sale gobeur qui nous sommes vraiment !

Le sauvé-des-sables se jette à leurs genoux.
– Oh, merci ! Sans vous, j'allais rejoindre mes ancêtres !
– En échange, propose Carmélito, promets de renoncer pour toujours à attaquer notre poulailler !
– Je le jure ! s'écrie le gobeur.
Il tend ses armes aux vainqueurs et disparaît avant qu'ils ne changent d'avis.

Quelques instants plus tard Pitikok et Pédro les rejoignent en soufflant comme des baleines.
– Pfffou… On a tout vu… Pfffou… De loin… Pfffou… Bravo, les pioupious !

Le chef des Gobeurs est vexé comme un pou !
Il n'a pas supporté qu'une poignée de donzelles
lui ait fait mordre la poussière, à lui, le grand Vasypapa !
« On va la jouer fouine... »
À bord du tonneau volé à Pédro, il encourage ses troupes :
– À l'abordage, mes garçons !

Dans le donjon flottant, la chance semble tourner.
Les filles ont utilisé toutes les armes possibles.
Avec sagesse, elles ont commencé par parlementer,
puis elles ont fait preuve d'astuce et se sont montrées plus malignes
que leurs ennemis. Cela n'a pas suffi. La fin est proche.
Mais voici que l'eau de la mare se met à bouillonner…

– C'est bientôt fini, ce boucan ?
hurle une créature écumante de rage.
Je déteste être dérangée pendant ma sieste !

Ce dragon en colère surgi des flots est une dragonne,
et Mamie Python elle se nomme.
Elle est la mère de tous les dragons de la Terre !
C'est vous dire si elle est vieille !
Un cœur d'or. Mais faut pas l'énerver !...

– Eh ben ! Quelle journée ! dit Carmen.
Une attaque de fouines... Un tremblement de terre...
Et maintenant un monstre en furie !
– Quand je pense, ajoute tantine Coquette, que les gens disent qu'il ne se passe jamais rien à la campagne...

– J'en ai maté de plus costauds
que vous, mes gaillards ! s'emporte
la grand-mère pas commode.
Apollon, Hercule, saint Georges…

… Tous ces célèbres
étripeurs de dragons
se sont vantés
de m'avoir zigouillée.
Mais Mamie Python
est toujours là !…

… On s'attaque
aux faibles, hein ?
Vous allez voir
de quel bois
je me chauffe !
– Pitié ! Pitié ! Mamie Python.
On le fera plus, supplient les fouines.
En moins de temps qu'il n'en faut
à un merle pour chiper une cerise,
l'affaire est réglée.
Adieu, Vasypapa et
les Quarante Gobeurs !

– Bonjour, mesdames… mesdemoiselles, dit la dragonne de sa voix la plus suave. N'ayez pas peur. Je suis votre voisine du dessous : Mamie Python.
– Notre voisine ? Si on vous avait déjà croisée dans l'escalier, on s'en souviendrait, répond Carmen.

– Et pourtant, j'habite une confortable grotte sous votre poulailler depuis bientôt cinq siècles.
– Mais… les chevaliers n'ont-ils pas tué tous les dragons jusqu'au dernier ? demande Carméla.
– Hi ! hi ! hi ! Des racontars pour séduire les belles princesses, glousse l'ancêtre.

– Je suis navrée de vous avoir un peu bousculées.
J'ai tapé au plafond pour faire cesser ce tintamarre,
mais je ne connais pas ma force…
– Le tremblement de terre, c'était vous ?
s'écrient en chœur les p'tites poules. Bonjour les dégâts !
– Ne vous inquiétez pas.
Je vais tout remettre en place… Voilàààà !
Un coup de balai et il n'y paraîtra plus.

– Mamie Python, dit Coquette, vous nous avez sauvé la vie…
– Meuh non, meuh non, minaude le monstre. Ça m'a amusée.
Je ne peux pas m'empêcher de jouer avec le feu.
Puis elle ajoute, avec gravité :
– Je suis fière de vous, les filles !
Il n'y a pas de poules mouillées au poulailler !

– Je ne vais pas pouvoir faire la causette avec vous plus longtemps, poursuit-elle. Imaginez qu'un chevalier vienne à passer, qu'il fasse son malin et cherche la bagarre ? Je serais obligée de le griller comme une saucisse. Je préfère retourner me cacher dans ma grotte. Je compte sur vous, hein ? Motus et bec cousu ! Ce sera notre grand secret…

– Le secret le mieux gardé du poulailler, jurent les p'tites poules.

– Adieu, Mamie Python !

Quelques heures plus tard,
les valeureux petits coqs sont de retour.

– Carmélitooooo !
hurle Bélino en allant à la rencontre
de son grand copain.

– Mon papa ! s'écrie joyeusement Carmen.
Comme tu nous as manqué !

Pour Carmélito, Coquenpâte, Molédecoq,
Bangcoq, Coqpitt et Coqueluche,
cette glorieuse journée restera à jamais
gravée dans l'histoire du poulailler.

– Ne tremblez plus, les filles ! On a fait le nécessaire ! déclare fièrement Coquenpâte.
– Ouais ! Grâce à nous, on va pouvoir vivre en paix ! lance d'une voix forte Molédecoq.
– M'étonnerait qu'on revoie une fouine dans le coin ! Hein, les gars ? conclut Carmélito.

– Comme vous êtes forts ! s'extasie Carmen en regardant sa maman et ses copines d'un air complice.

Le poulailler a retrouvé sa joie de vivre.
Les petits coqs ont entamé une partie de pouleball endiablée.
Pédro arbitre, Carmélito est dans les cages.
– La passe, Bangcoq ! Fais-moi la passe !
– M'sieu ! M'sieu ! Il est hors jeu !
– Ouiiinnn ! Molédecoq m'a tendu un croche-patte !
– Pénaltyyyy !!! Pénaltyyyy !!!

– Chuuut ! Moins de bruit, les enfants !
Il y en a qui dorment…

Les P'tites Poules et la Grande Casserole

La nuit est tombée sur le poulailler.
Pourtant, aucune petite poule n'est encore couchée.
Elles écoutent Pitikok leur lire le grand livre des étoiles.

– Regardez, mes enfants !
Devant nous, on peut voir le Batailleur.
Le coq aux plumes et aux pattes de diamant,
armé de sa longue épée d'argent. C'est lui qui, dans le ciel,
est chargé de chasser la nuit et de ramener le jour…

– Waouh !!! s'écrient poulets et poulettes émerveillés.

– Là-bas, poursuit le chef de la basse-cour,
cet astre qui brille plus que les autres... c'est l'étoile Poulaire.

– Qu'elle est belle !!!
s'exclament Bélino, Carmen et Carmélito.

– Sa présence dans le ciel signale l'arrivée prochaine de l'hiver.
Mais surtout, elle annonce l'immense fête
qui aura lieu demain dans tous les poulaillers.

La fête de l'Étoile Poulaire !!!
Youpiii !!!

– Dis, papa, demande soudain Carmen,
cette casserole qui vient d'apparaître au-dessus de chez nous,
elle annonce quoi ?

– Mais… c'est fort simple, intervient Pédro le Cormoran, très sûr de lui. Elle signifie que vous allez passer à la casserole ! Bref, vous allez tous mourir !

La sinistre prédiction du vieux cormoran provoque aussitôt la panique chez les p'tites poules.

Aaaaah… !!! Sauve qui poule !
Mais poulequoi ?!? Poulequoi ?!?

– C’est malin, mon pauvre Pédro !
s’emporte Carméla.
Les poussins vont faire des cauchemars.

– Bon, tout le monde au nid ! dit Pitikok.
Demain, très tôt, nous irons en forêt, comme le veut la coutume,
ramasser noisettes, graines et pignons de pin
pour notre repas de fête.

Pour Coquenpâte, Bangcoq et Molédecoq,
l'arrivée de cet ustensile de cuisine dans le ciel
est un très mauvais présage.
– Je ne veux pas finir à la casserole ! pleurniche Molédecoq.

Une idée germe lentement
dans la cervelle du petit rondouillard :
– Pour que la fermière ne puisse pas nous faire cuire,
eh ben, il faut lui voler son matériel, pardi ! Suivez-moi !

– Qu'est-ce que t'es intelligent, Coquenpâte !
– Je sais ! Je sais !

– Je la tiens, les copains ! chuchote Coquenpâte.
Maintenant, comment s'en débarrasser ?
Bangcoq se met à glousser :
– Et si on allait la jeter entre les griffes de
l'Abominable… du moulin de la rivière Kipu ?

Alors que Coquenpâte et sa bande se rendent discrètement au moulin, un cri déchirant monte dans le silence du poulailler endormi.

– Que t'arrive-t-il, Bélino ? s'inquiète Carmélito.
– Bêêêê... j'ai fait un horrible cauchemar !
Il y avait cette maudite casserole... Et... Et...
Vous deux... Et... Et... Tous les copains... Et... Et...
J'peux pas vous raconter tellement c'était affreux...

– Voilà, c'est fini... Rendors-toi, Bélino, lui dit Carmen.
– Je vais grignoter un morceau de Kipu.
Ça m'aidera à retrouver le sommeil...

Pendant ce temps,
les trois voleurs de casserole
touchent au but.
Ils ont escaladé le toit du moulin
et s'apprêtent à exécuter leur plan.

– Hé, hé, hé…
Personne ne pourra la récupérer
sans risquer de se faire dévorer…

– Allez, zou…
Bon débarras !

GRRR
SPLÔT !

Quelques heures plus tard,
alors que la nuit enveloppe encore le poulailler,
c'est l'agitation des grands jours !
Malgré l'heure matinale,
pas une petite poule n'est restée paresser au fond de son nid.
Parents et enfants s'équipent pour aller ramasser en forêt
les délicieuses friandises que l'on partagera
au cours de la grande fête de l'Étoile Poulaire.

– Qui n'a pas son ver luisant ?
– Qui veut sa luciole ? Sa mouche à feu ?

Les p'tites poules se dirigent à travers les champs
et les bois en chantant :

« C'est nous les ga-ga, les gallinacés,
laissez-nous pa-pa, laissez-nous passer !
Nous on va ra-ra, on va ramasser
des marrons gla-gla, des marrons glacés... »

Les glaneuses se mettent à la recherche
de petites graines de millet, de noisettes, de tendres pignons
et de pommes givrées.

Hélas, tout ce petit monde a beau se démener,
la récolte n'est pas fameuse.
– Une horde de sangliers affamés nous a devancés, dit Pitikok, dépit
Ces goinfres ne nous ont laissé que des miettes !

Un peu à l'écart, Bélino a la chance de découvrir
des baies rouges dont il raffole.
– Il n'y en aura pas pour tout le monde.
Autant les manger sans rien dire à personne,
se réjouit le gourmand.

En se redressant, le petit bélier croit mourir de peur.

– **Aaaah!** Mon cauchemar recommence!!!

– Fuyez tous! Un monstre bossu!

Terrifiés, poulets et poulettes ont du mal
à empêcher leurs genoux de jouer des castagnettes.
Carmélito, bravement, s'approche et découvre une créature...
moche... Mais moche !
– Pourquoi est-il ficelé à cet arbre ?
– Z'avez vu ses dents ? s'écrie Molédecoq.
C'est sûrement un dévoreur d'enfants !

– Regardez ! Il bave...
– C'est un lépreux !!! s'étrangle Coqueluche avant de s'évanouir.

Un lépreux ! Un lépreux ! On va tous pourrir !!!!

Pitikok est obligé de donner de la voix pour calmer les esprits :
– Silence, la marmaille ! Vous êtes tombés sur la crête ? Monsieur est un paisible marchand ambulant !

– Carmélito, aide-moi à délivrer ce malheureux.

Le colporteur au drôle de chapeau
remercie chaleureusement ses sauveteurs.
Il dit s'appeler Bagdadi et venir d'Orient,
une contrée fort reculée,
à des centaines de jours de marche d'ici.
Intriguée, Carmen lui demande :
– Mais… que viens-tu faire en ces lieux,
si loin de ta maison ?

– Chaque année, explique l'étranger,
je viens livrer ma marchandise à une très bonne cliente.
Une vieille femme aux cheveux rouges
qui habite au plus profond de la forêt…

– Mais, pour mon plus grand malheur,
cette fois, j'ai été attaqué par des brigands !
Ils ont volé mon précieux chargement.

– Monsieur Bagdadi, remarque Pitikok,
vous tremblez de froid ! Venez vous réchauffer
et reprendre des forces dans notre modeste logis.
– Ce soir, c'est la grande fiesta au poulailler !
Acceptez d'être notre invité, ajoute Carmélito.

De retour chez eux, poulets et poulettes font le compte
des quelques friandises glanées dans les bois.
Leur déception est grande.
– Misère à plumes ! s'emporte Molédecoq.
Avoir gratté aussi longtemps pour ça ?
– Deux noisettes et trois pignons de pin chacun !
Tu parles d'un festin ! râle Coquenpâte.

– Et ce soir, rappelle Cudepoule,
oncle Crêtemolle, sa femme et tous nos cousins seront là…
– S'il n'y a que ça à se mettre dans le gésier,
elle va être nulle, cette fête… ronchonne la volaille.

– Sans oublier cet étranger qui doit manger comme quatre !
grimace Bangcoq.

Le colporteur fait celui qui n'a pas entendu et dit :
– Hmm… Hmm… Mes amis, je crois que j'ai ce qu'il faut
pour sauver cette soirée…

Bagdadi ôte son turban avec précaution.
– Les bandits qui m'ont attaqué ont volé
tout mon riche chargement. Mais, heureusement,
ils n'ont pas découvert ma réserve personnelle. Regardez !

Carmen demande, émerveillée :
– C'est toi, le marchand de sable ?

Le colporteur se penche vers les p'tites poules en chuchotant :
– Ceci est un trésor ! Un trésor... qui se mange !
Une délectable friandise inconnue chez vous.
Allez-y ! Goûtez !

Les enfants, un peu méfiants, hésitent.
Leurs parents leur ont bien répété
de ne jamais accepter de cadeau d'un étranger...

Mais Coquenpâte ne peut résister
et se jette sur les mystérieux petits cristaux
qui scintillent dans le chapeau.

– Miaaam ! fait le gourmand en se caressant le bidou.
Que c'est bon !

Les p'tites poules, qui ne veulent pas rater ça, se précipitent.
– Mmmm... Exquis ! Savoureux ! Succulent !

– C'est le meilleur amuse-bec que j'aie jamais goûté,
se pâme Carmélito.

– Cette chose raffinée, c'est le sucre ! explique Bagdadi.
Une gourmandise qui apporte douceur et bonne humeur,
console des gros chagrins, donne du plaisir
et chasse tous les soucis. On le croque et… hop !
de larges chourires che déchinent auchitôt
chur les bouilles des petits et des grands.

– Quelle chance d'avoir dans son pays des mines de sucre !
s'exclame Carmen.

– Vous m'avez sauvé la vie et offert l'hospitalité,
reprend le marchand, très ému,
en s'appuyant sur sa canne à sucre.
Aussi, je vais vous révéler le secret de cuisine
le mieux gardé d'Arabie.
Comment, par magie, changer ces petits grains en friandises
plus délicieuses encore qu'on appelle : **les bonbecs** !!!

Une friandise meilleure que le sucre… ?
Les p'tites poules réclament aussitôt sur l'air des lampions :

**« Bagdadi, la magie ! Bagdadi, les bonbecs !
Bagdadi, la magie ! Bagdadi, les bonbecs ! »**

– Pour cela, il me faut une grande casserole...

– Nom d'une coquille !!! s'écrie Carmélito.
La grande casserole !!! Vous entendez ça, les copains ?

– Je sais où en trouver une, dit Carmen.
Celle de la vilaine est accrochée près de la cheminée.
Allons lui emprunter !

– Attendez ! Attendez !
La casserole n'est plus chez la fermière !
hurle Molédecoq.
– C'est vrai, reconnaît Coquenpâte, un peu gêné.
On s'en est débarrassés ! Loin, loin d'ici…

– Quel boulet, ce poulet ! s'emporte Carmélito.
Le temps presse ! Il ne nous reste que quelques heures
pour préparer le repas de fête.

– Où l'avez-vous mise ? Vite ! s'écrie Carmen.

– On l'a jetée dans la cour du moulin de la rivière Kipu, avoue Bangcoq.

– Je connais ! s'enflamme Bélino.
C'est là qu'on fait mon fromage préféré !
Je vais vous y conduire.

– Enfer et crotte de poule !

On a oublié de leur parler de… l'Abominable !!!
Ils vont se faire manger tout crus !

Après qu'ils ont marché très longtemps dans la neige,
le petit bélier s'écrie :
– Là-bas ! Au bout du chemin… Nous y sommes !

– J'aperçois la casserole au milieu de la cour
La récupérer sera un jeu d'enfant.

Le petit coq prend la direction des opérations
– Avançons sans bruit
pour ne pas attirer l'attention du meunier…

GGGGRRRRR!

– Touche pas à ma sœur ! menace Carmélito.

Face au danger, Carmen garde son sang-froid et lance au molosse

– Tiens ! Goûte-moi ça, mon gros pépère !

– C'est bon, hein ? Il aime ça, le chien-chien !

– Encore un su-sucre ? Oooh ouiiii !
C'est le su-sucre du mâtin, ça !

– Rejoins-nous, Bélino !
Ce gentil toutou se propose de nous raccompagner au poulailler !

Mission « Grande Casserole » accomplie !
Carmélito, pareil au dieu Apollon conduisant le char du soleil,
encourage de la voix leur fougueuse monture :
– Plus vite, le chien ! Plus vite !
À la vitesse de l'éclair, les trois amis s'élèvent au-dessus des champs
volent sur les chemins
et franchissent d'un bond les rivières et les bois.

gling!

Soudain, au plus profond de la forêt,
ils sont intrigués par un étrange
spectacle… Mais…
pas le temps de flâner.
On les attend au poulailler.

miam-miam!!

Cela fait maintenant des heures
que Bagdadi s'active au fourneau.
Le chef confiseur a confié à chacun des jeunes commis
une tâche bien précise.

– Carmélito, apporte-moi les graines, les pignons
et les noisettes que vous avez rapportés de la forêt !
– Oui, chef !
– Carmen, Hucocotte, ramassez tous les fruits abandonnés
dans les vergers alentour.
– Oui, chef !

Il est bien loin, le temps où l'étranger au turban
provoquait la peur chez les p'tites poules.
Les senteurs parfumées du sucre caramélisé
embaument la campagne et donnent l'eau à la bouche.
Une nuée de marmitons pleins d'entrain casse les noisettes,
dénoyaute les mirabelles, écrase les baies, pèle les pommes,
pile les amandes, tamise les pignons, trie les graines
et touille les confitures…

Un vent de folie sucrée souffle sur le poulailler !

À la nuit tombée arrivent les premiers invités.
– Dis, oncle Crêtemolle,
demande Poule Émile Victor,
c'est quoi cette casserole dans le ciel ?
– Une casserole ? Quelle casserole ?
J'vois pas de casserole !
TOC !
TOC !
TOC !
TOC !
Entrez les amis !!!

– Approchez et régalez-vous !
Venez déguster : croquants de lombrics caramélisés, sucettes aux fourmis rouges, pralines façon Carmen, petites mouches au sirop, berlingots à la Carmélito, caramels au lait de pucerons, roudoudous à la liqueur d'escargot, barbapapa du sultan et autres merveilles...

Que la fête commence !!!

Ce fut, de mémoire de p'tite poule,
la plus belle, la plus joyeuse fête de l'Étoile Poulaire.
Dans cent ans, on parlera encore, je vous le dis,
de la fabuleuse soirée sucrée Bagdadi !

Les p'tites poules remercièrent avec chaleur
le courageux colporteur venu d'Orient :
– Quand on pense que, sans toi,
on n'aurait jamais mangé de bonbecs de notre vie !!!
– Nom d'une poule ! Un monde sans sucre ! L'enfer !

La fête s'achevait quand soudain
retentirent de terribles cris de douleur.

– Oh, que j'ai mal !... gémit le pauvre Bagdadi.
J'ai oublié de vous dire, les enfants : le sucre, c'est bon,
mais, hélas, ça fait des trous dans les dents !!!

Nous, on s'en moque !
On n'a pas de dents !!!

Table

Jolibois - Heinrich

Chronique de deux p'tits gars de la campagne...

Il y a longtemps, longtemps, longtemps...

Le petit Christian ne s'ennuyait jamais. Il faut dire que c'était un sacré rêveur... Des rêves qui l'emportaient loin, très loin de son poulailler...

Quant au jeune Christian, il trouvait ses journées bien trop courtes pour pouvoir observer toutes les mystérieuses créatures qui peuplaient son royaume...

Grâce à la radio et à la télévision,
les deux Christian découvrent avec bonheur des personnages
louftingues, fabuleux, grands fêlés ou valeureux.
Ces héros vivent dans des mondes où tout est permis :
les feuilletons et les films...

Son papa va lui faire découvrir
les bonheurs infinis de la lecture.

* Célèbre émission radio des années 1960.

Entre deux tartines,
son grand-père va lui dessiner
d'inoubliables scénettes...

Des livres, vont surgir de merveilleux compagnons d'aventures.
Des amis qui les marquent à tout jamais...

Les deux gamins partagent alors leurs exploits, le jour et la nuit... !
À la vie ... à la mort !!!

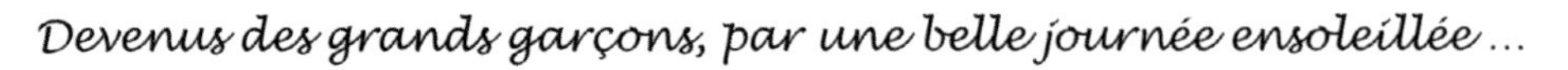
Devenus des grands garçons, par une belle journée ensoleillée...

Christian
J'aime beaucoup ce que tu fais...
Christian
J'aime beaucoup ce que tu fais...
Euh... J'ai une idée... sous mon chapeau !
Une idée. Moi aussi... plein les cartons !
1995 Juin
Et quelque douze albums plus tard...
Papa ! Tu viens jouer !?...
Papa ! Tu viens jouer avec nous ?...
Ils ne peuvent pas. Ils travaillent au poulailler !!!